C L A U D E T T E   J A C Q U E S

Mandalas pour développer...

l'Estime de Soi

Cahier à colorier

D1088688

Le Dauphin Blanc

Nous reconnaissons l'aide financière du gouvernement du Canada par l'entremise du Programme d'aide au développement de l'industrie de l'édition (PADIÉ) pour nos activités d'édition.

Nous remercions la Société de développement des entreprises culturelles du Québec (SODEC) pour son appui à notre programme de publication.

Les dessins mandalas ont été réalisés à la main par Claudette Jacques et ajustés à l'ordinateur pour les besoins d'impression. L'auteure tient à remercier Pauline Veilleux pour son aide inestimable.

Révision linguistique : Amélie Lapierre

Infographie des mandalas : Mathieu Bergeron (Smartiz – Publicité et graphisme)

Infographie de la couverture : Marjorie Patry

Mise en pages : Marjorie Patry

Éditeur : Les Éditions Le Dauphin Blanc inc.
        C. P. 55, Loretteville (Québec) G2B 3W6 CANADA
        Tél. : (418) 845-4045   Téléc. : (418) 845-1933
        Courriel : dauphin@mediom.qc.ca
        Site Web : www.dauphinblanc.com

ISBN : 978-2-89436-187-0

Dépôt légal : 3e trimestre 2007
        Bibliothèque nationale du Québec
        Bibliothèque nationale du Canada

Imprimé au Canada

Avant-propos

Les cahiers à colorier *Mandalas* sont conçus pour permettre au plus grand nombre de gens possible de faire la découverte d'outils peu connus, créatifs et thérapeutiques à la fois. Comme le temps manque à plusieurs personnes pour faire leurs propres mandalas, les dessins à colorier suivants offrent la possibilité de bénéficier de la paix et de l'harmonie que procurent les mandalas.

Le but des mandalas est d'abord et avant tout d'unifier, d'harmoniser. Pour des raisons indéterminées, l'entrée dans leur cercle change le niveau vibratoire. Les mandalas unifient alors les deux hémisphères du cerveau et harmonisent les dualités, les contraires. Ils permettent la connaissance de soi et ils servent de soutien pour la méditation.

Ces dessins à colorier sont à la portée de tous; ils nécessitent seulement de cinq à sept crayons à colorier, de tons différents, de préférence, et un temps d'arrêt. L'œuvre est alors en mouvement. En commençant par leur centre, c'est une invitation à joindre son propre centre, à prendre contact avec soi, puis à voyager dans le cercle en toute sécurité comme cela devrait être dans la vie.

Je vous invite à en faire l'essai et à en découvrir les bienfaits.

Claudette Jacques

Note : identifiez votre état d'être avant et après avoir colorié chaque mandala. Il est intéressant de constater à quel point le coloriage des mandalas peut transformer un état ordinaire en un état plus harmonieux.

Les mandalas pour développer...
l'Estime de Soi

Ces dessins mandalas ont été conçus pour toi, afin de t'accompagner dans cette recherche intérieure qu'est l'estime de soi. Tous les êtres sont égaux, semble-t-il. Ce qui nous différencie est l'opinion que l'on a de soi. Si tu n'es plus heureux et que tu as perdu confiance en toi, sache que tu as la capacité de changer cet état.

Les dessins mandalas sont des outils qui disposent de plusieurs propriétés dont celle de t'accueillir à l'intérieur du cercle protecteur. Puisqu'ils donnent accès au grand Réservoir cosmique, il t'est possible de recevoir des messages, des révélations, des découvertes, en t'unissant au point central. Mais d'abord et avant tout, il t'est possible d'accéder à ta propre valeur, à l'amour qui existe en toi, ainsi qu'à l'unicité de ton être.

En te donnant le droit de t'arrêter et de prendre du temps pour toi afin de colorier, un travail est déjà en cours. Le coloriage te permet de vivre une expérience enrichissante, car pour des raisons intrinsèques, le simple fait d'entrer dans le cercle change le niveau vibratoire et unifie les deux hémisphères du cerveau, harmonisant ainsi les dualités et les contraires et favorisant l'harmonisation.

Par les mandalas, tu découvriras une autre image de toi, ce qui te permettra d'élever ton estime personnelle. Page par page, tu deviendras plus conscient de ta capacité à t'aimer, à t'accepter et à améliorer ton sort, en prenant toute la responsabilité de ta vie, de ton bonheur. Redresse la tête et vis ce nouveau sentiment d'amour de toi, car tu es unique et tu mérites d'exister.

Je souhaite que le mandala soit pour toi un refuge!

Bonne route!

Claudette Jacques

Note : les espaces libres dans les dessins permettent d'y ajouter une touche personnelle, comme un souhait, un nom, un message.

Accepter son ombre

Certaines parties de soi sont cachées, occultées, mises au rancart pour être accepté de la famille, des autres, de la société... Ces ombres nous suivent, impossible de les semer. Elles sont sous-jacentes, provocantes, toujours prêtes à surgir.

En coloriant mon dessin mandala, j'accueille dans mon conscient mes ombres inconscientes, oubliées. Elles font partie de moi, et pour développer mon estime personnelle, j'accepte la totalité de mon être, même les zones de colère, d'agressivité, de dépendance, de délinquance ou autres.

J'affirme : « Je suis tout cela. »

Son pouvoir

Chacun dispose d'un potentiel qui lui est propre. Ce qui différencie les individus, c'est la façon dont ils utilisent leur capacité. Certains voient grand et exploitent au maximum leurs talents et en reconnaissent la valeur.

Je reconnais mes talents, je sais que je suis génial et que mon pouvoir réside dans la confiance que j'ai en moi. Pour développer ma confiance, j'énumère mes talents : je suis habile en menuiserie, en dessin, en rédaction, dans l'art de comprendre autrui, etc.

J'affirme chaque jour : « J'ai le pouvoir de changer des choses! J'ai l'intention de réussir! »

Le doute

Chaque fois que je doute de moi, je m'affaiblis. Je refuse cet état qui n'a rien d'avantageux pour mon estime personnelle. Pour changer cette habitude d'être, je cherche l'autre façon de faire qui est la certitude. Je me rappelle qu'il est moins dommageable de me tromper que de douter de moi.

Je me répète souvent : « Je sais que je possède mes réponses, j'ai pris la bonne décision. Par ces affirmations, je ne laisse plus de place au doute. Il n'y a qu'un pas entre le doute et la certitude, je choisis de faire le pas dans le sens positif. »

« Je suis confiant. »

Oser être soi

Parvenir à être soi, malgré les influences, s'avère un défi à relever. Lorsque je regarde la fleur au centre de mon dessin, je sais que je possède cette capacité de fleurir. Je vaux la peine d'être connu, aimé.

J'exprime mes idées et je vais au-delà des interdictions en brisant des habitudes qui me lient à ma petitesse, à des peurs qui me restreignent. Peu importe l'âge, je suis apte à être explorateur, magicien de ma vie, prestidigitateur dans les situations.

Je réalise mon plus grand rêve : être moi.

« Je suis ».

Le tournesol

Où qu'il se trouve, le tournesol se tourne vers le soleil, car il a besoin de ses rayons pour grandir. En tant qu'êtres uniques, nous avons besoin de vivre en harmonie avec nos valeurs, nos aspirations profondes, nos rêves. Je me questionne : qu'est-ce qui peut m'aider à développer l'estime de moi? De quels rayons ai-je besoin pour développer mon estime?

J'ai besoin d'abord de reconnaître les besoins de mon âme, de mon esprit, de mon corps, et j'ai besoin de m'entourer d'amis qui croient en moi, de gens qui m'estiment, de gens qui font fleurir mon beau côté! C'est ma responsabilité de découvrir le vrai moi. En coloriant le dessin mandala, je retourne vers mon centre et je découvre une lumière qui m'est bénéfique.

« Je vois. »

La fleur de soi

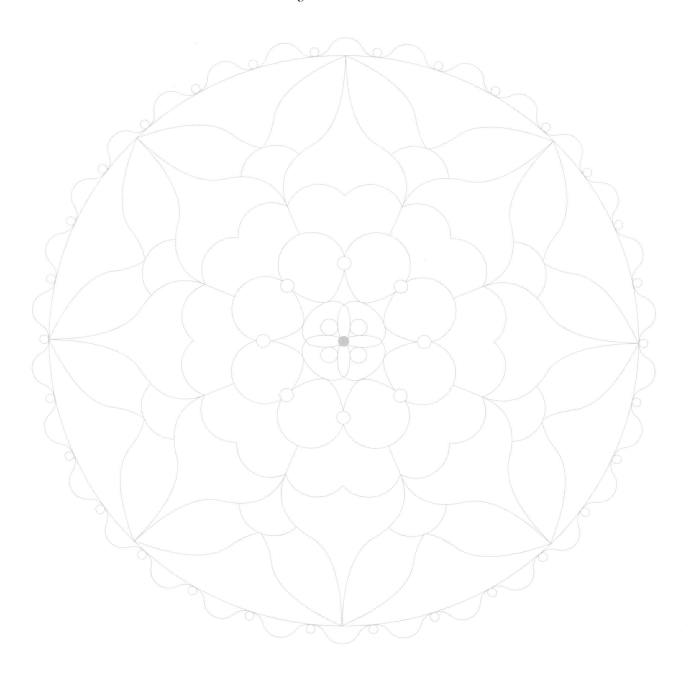

Cette fleur de soi est la fleur de vie. Elle m'indique la route à suivre pour mon épanouissement. C'est une fleur unique qui, partant du centre, me fait voir tous les possibles. Ce n'est qu'une fois centré, rempli de la plénitude du moment, que je grandis, d'une étape à une autre, d'une expérience à une autre, pour atteindre mon individualité.

Cette fleur me confirme que je suis unique, incomparable.

« Je suis fier de moi. »

Se choisir

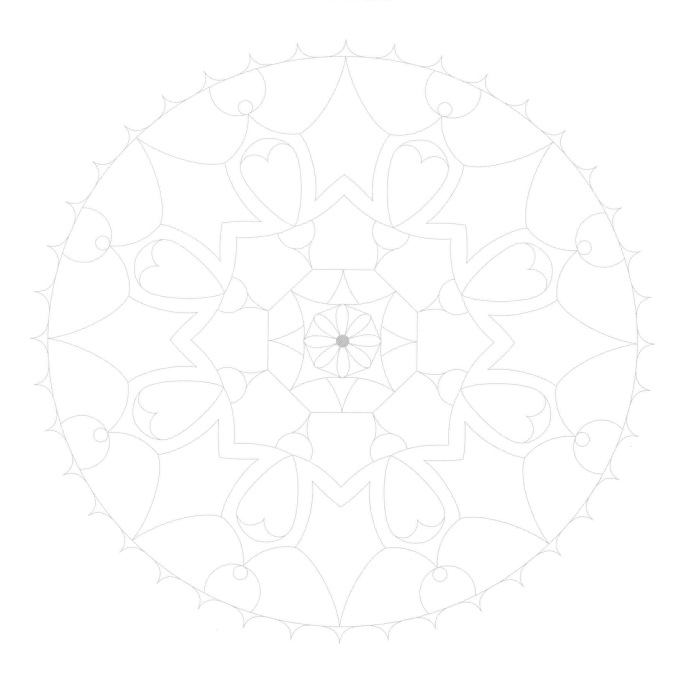

Tous les êtres humains ont une blessure à guérir. Que ce soit la blessure du rejet, de l'abandon, de l'indifférence, de l'injustice ou de l'humiliation, cette blessure a affecté mon estime personnelle. Je n'ai pas à jeter la pierre à qui que ce soit, cela fait parti de mon expérience.

Je trouve les moyens pour me guérir. Je me donne l'attention que je n'ai pas eue, l'affection que je n'ai pas reçue, je trouve la vérité que je cherchais, je décide de devenir le préféré.

« Je me choisis. »

La réussite

Ce n'est pas en m'apitoyant sur mes points faibles que je vais réussir, c'est plutôt en mettant en valeur mes points forts. Quelles sont mes aptitudes? Mes talents? Je possède l'intelligence voulue pour faire fructifier mes talents sans me juger, sans me comparer. Je me fixe des objectifs et je visualise ma réussite.

Je suis convaincu qu'une graine en terre va forcément produire un fruit. Je suis digne de réussir ce que j'entreprends. Je remercie pour cette réussite.

« Merci à l'Univers. »

Dialogue intérieur

Quelle est la teneur du discours que je maintiens à l'intérieur de moi? Ai-je de la compassion, de la bienveillance ou est-ce que je me critique et me traite de tous les noms? Je tente de déprogrammer les messages dévalorisants reçus dans l'enfance; je fais taire les automatismes qui me rappellent que je ne suis bon qu'à..., que je suis incapable de...

Je me parle avec gentillesse et j'affirme que je suis capable, intelligent, talentueux. Je m'accueille avec bonté même si je fais une erreur, une gaffe. Je me rassure, je me célèbre.

« Je suis bienveillant envers moi dans mes paroles et dans mes gestes. »

L'amour de soi

Vivre l'amour est l'un des sept besoins physiques. Un nouveau-né qui ne sent pas une chaleur aimante peut se laisser mourir. L'amour de soi est indispensable, car c'est le chemin de la reconnaissance de soi, de la compassion pour soi, de l'acceptation de soi. S'aimer est la chose la plus difficile pour l'être humain, dit-on!

Dès aujourd'hui, je cesse de me blâmer, de me dévaluer, de me haïr. J'agis avec douceur et bonté.

Je me félicite pour mes succès, je m'encourage, je me console.

« Je m'aime! »

La créativité

La créativité permet à l'être de traverser les frontières du doute pour habiter son véritable royaume. En créant, je me retrouve à un endroit dans mon être qui ressemble au centre du mandala où je me sens en confiance, entouré du cercle protecteur. Lorsque je crée, mon estime atteint un niveau élevé, inégalé, car j'offre le meilleur de moi, je reçois la confirmation que ma présence sur cette planète est importante.

Je dois trouver une façon bien à moi d'exprimer ma créativité. Je prononce cette phrase avec conviction : « Je suis créateur. »

La sécurité

La sécurité n'est pas un sentiment extérieur, mais intérieur. Il faut découvrir au-dedans ce qui nous procure l'assurance. Le centre du mandala conduit à cet endroit sécuritaire, au centre de soi. Lorsque le soi est solidifié, plus rien ne peut l'atteindre, ni la pensée qui vacille, ni les états d'incapacité, ni aucun événement extérieur.

Si je suis en sécurité au-dedans, cet état va se ressentir à l'extérieur de moi. Je serai en mesure de faire des choix plus judicieux et d'organiser ma vie afin d'éviter l'ambivalence, l'insécurité. La sécurité attire la sécurité. Au besoin, je retourne au centre du mandala pour me solidifier.

« Je suis en sécurité. »

L'affirmation

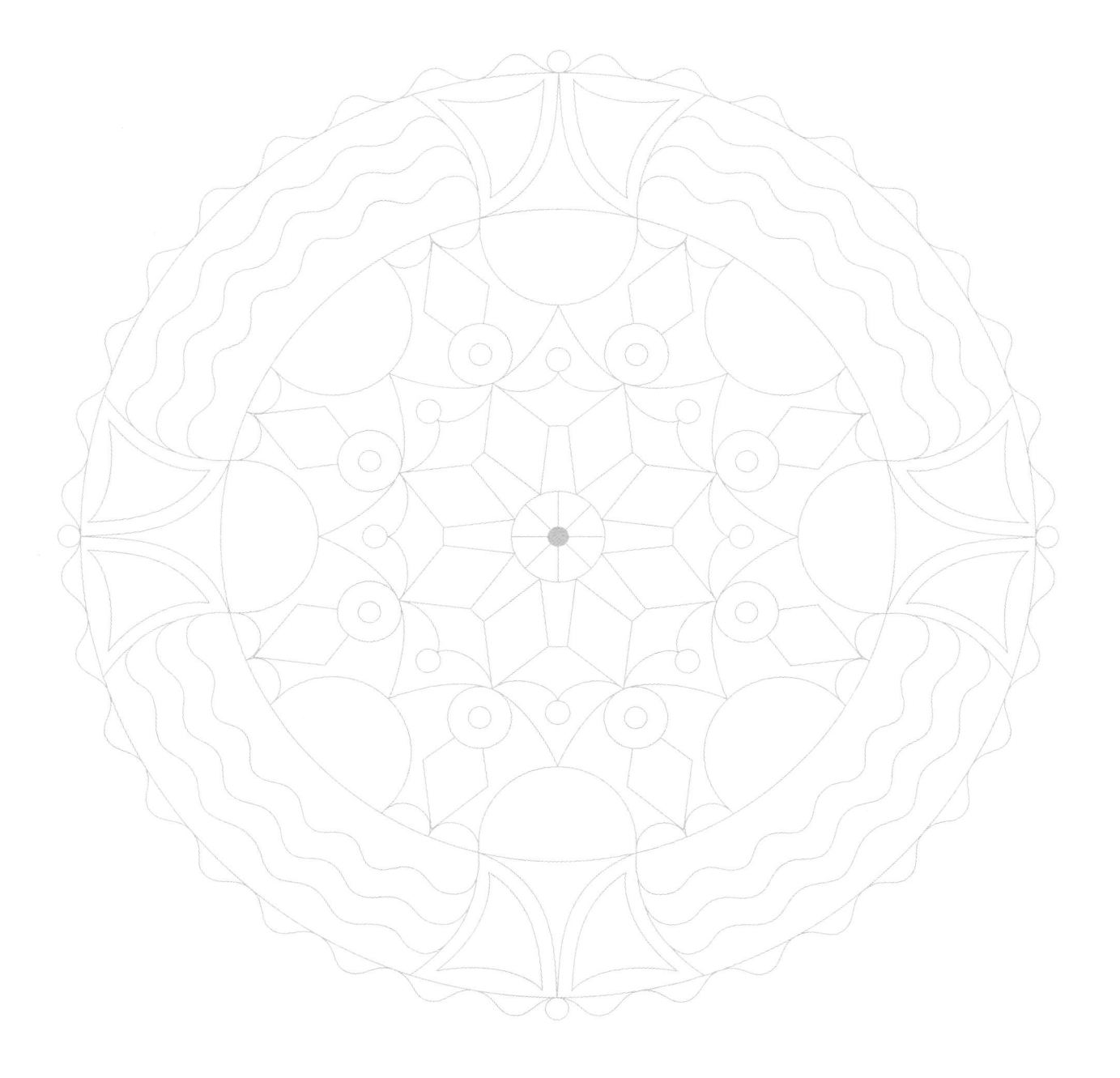

J'ai vécu bien des expériences, et j'ai compris les leçons de la vie. Désormais, je suis libre d'exprimer mes idées et de les faire valoir. J'élimine ainsi mes peurs et mes illusions qui me font croire que mon opinion peut déranger. Je parle ouvertement, peu importe la critique ou le jugement, car non seulement j'ai le droit d'être qui je suis, mais pour mon bonheur et mon évolution, je me dois d'être authentique.

« Je m'affirme. »

Le droit de vivre

Peu importe mes différences, je me reconnais le droit de vivre. Bien que je sois parfois porté à penser que le monde continuerait à tourner même si je n'existais pas, je reconnais ma responsabilité par rapport à la vie. Je regarde de façon objective ce que je pourrais changer dans mon existence. J'affirme que j'ai le droit d'exister, car ma présence sur terre est nécessaire; sinon, je manquerais à quelqu'un! En exprimant chaque jour ce droit de vivre, j'ouvre devant moi les portes des possibles, du merveilleux.

La vie m'attend : « Je veux vivre. »

Mandala d'intuition

Le mandala d'intuition est une invitation à créer ton propre mandala. Formé à partir du cercle et du point, il est unique, simple, mais complet. Dans ce type de mandala, plus précisément, le point doit être très bien identifiable puisqu'il n'y a aucune autre structure. Malgré sa simplicité apparente, ce mandala permet la communication entre l'âme, le corps, l'esprit. Il est favorable à toute personne qui chemine, qui cherche à comprendre ce que la vie lui présente.

En coloriant avec les couleurs primaires, soit deux bleus, deux jaunes, deux rouges, les couleurs juxtaposées les unes aux autres produisent les sept couleurs des chakras qui s'harmonisent au contact des couleurs.

Ce mandala peut être fait tous les jours ou chaque semaine selon ta disponibilité. C'est l'instant idéal pour parcourir l'intérieur du cercle dans un geste de va-et-vient, bénéficiant de la protection du cercle pour te libérer, tout en étant à l'écoute de ce qui se passe à l'intérieur de toi. C'est l'occasion pour accepter tout ce qui est, tout ce que tu es.

Coloriage du dessin d'intuition :

Détache d'abord le dessin du cahier afin d'avoir plus de facilité à colorier. Pars du centre avec, par exemple, le jaune; redéfinis le point central avec cette couleur. Tourne plusieurs fois le crayon au centre, puis voyage dans le cercle, sans penser, en faisant des petits cercles ou des spirales, revenant parfois au centre, mais en laissant ta main voyager à son rythme et à sa convenance. Termine dans un tracé en périphérie, fais le cercle avec cette couleur jaune avant de changer de crayon. Fais de même avec le bleu, puis le rouge. Tiens le crayon droit et toujours bien effilé afin de bien sentir le mouvement du crayon qui, tout en coloriant dans le mandala, fait circuler les couleurs à l'intérieur de ton être.

« En faisant ce mandala d'intuition, je suis prêt à m'harmoniser, à découvrir mon potentiel créateur. »

Bon mandala, et que l'expérience te soit profitable!

Mandala d'intuition

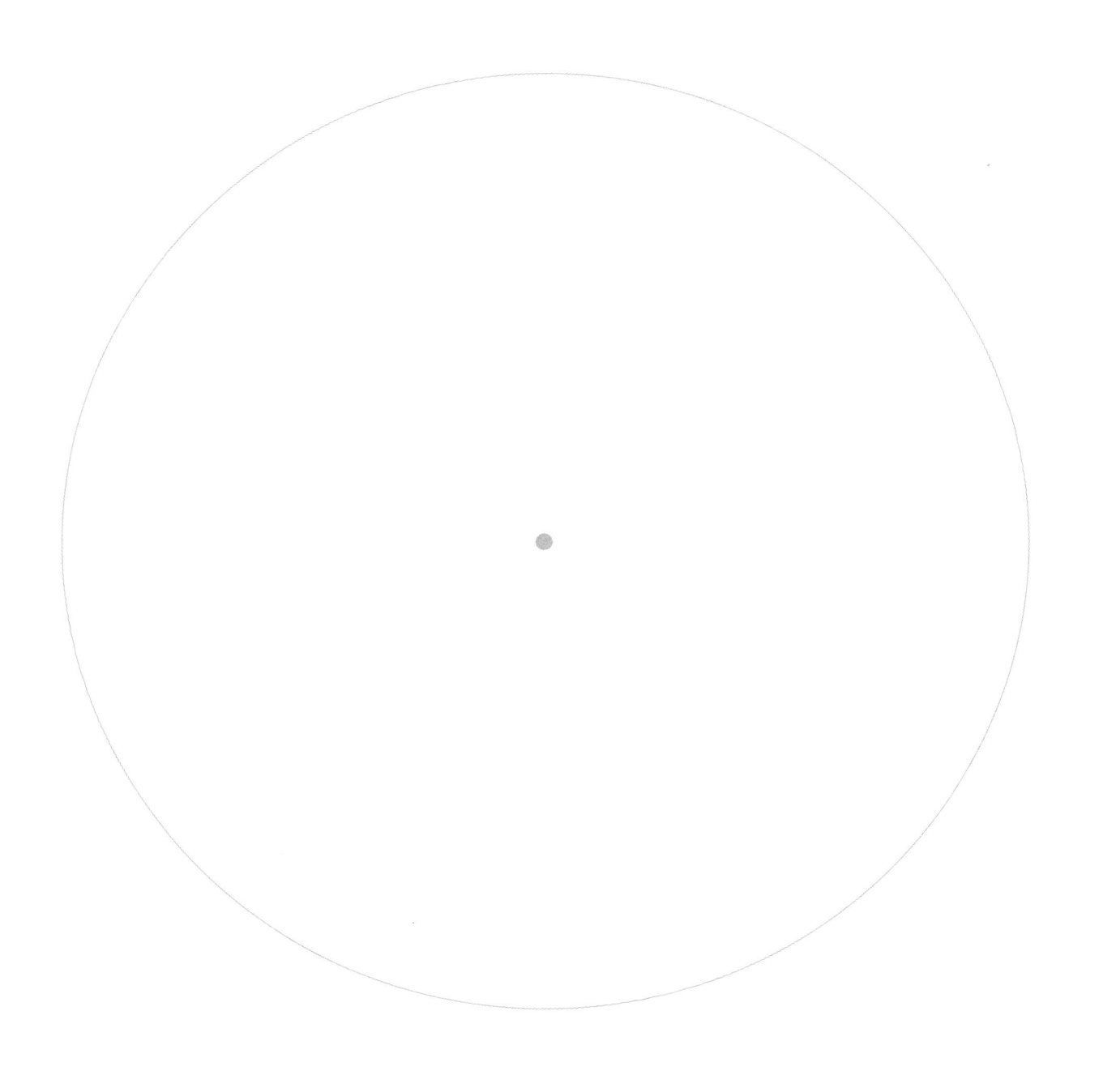

MARQUIS

Québec, Canada